LEONARDO

AGUS AN
BUACHAILL A D'EITIL

SCÉAL FAOI
**LEONARDO
DA VINCI**

LE

**LAURENCE
ANHOLT**

Ní raibh spáslonga ná eitleáin ar bith ann nuair a bhí Zoro ina ghasúr óg. Ba iad na héin amháin a bhí ag eitilt na spéire. Ach bhí fear amháin ann a raibh aisling dhochreidte aige. "Tiocfaidh lá," a Zoro, a deireadh sé lena dhalta, "nuair a eitleoidh daoine tríd na néalta agus a amharcfaidh siad anuas ar an domhan thíos fúthu.

Tiocfaidh an lá sin."

Leonardo da Vinci ab ainm don fhear fhéasógach a raibh an aisling iontach sin aige.

Ní raibh rud ar bith nach dtiocfadh le Leonardo a dhéanamh. Bhí gach sórt oibre ar siúl ina stiúideo - péintéireacht, dealbhóireacht, ceol agus eolaíocht.

In amanna, thaispeánadh sé a leabhair áille nótaí do Zoro. Bhí smaointe úra ar gach leathanach.

"Ba chóir dúinn iarracht a dhéanamh gach rud a thuiscint," arsa Leonardo . . .

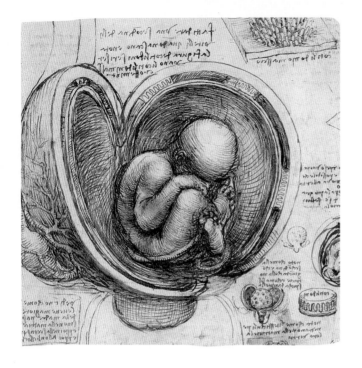

Cén dóigh a dtosaíonn an bheatha?

Cén dóigh a bhfásann planda?

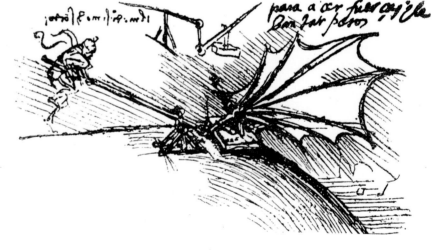

Én dóigh a mbogann na pláinéid?

Cén dóigh a bhféadfadh duine eitilt mar a bheadh éan ann?

Ach nuair a rinne Zoro iarracht na leabhair a léamh, fuair sé nach go raibh an scríbhneoireacht droim ar ais:

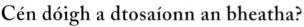

sa dóigh go gcaithfeá amharc sa scáthán lena léamh.

Bhí áit amháin nach raibh cead ag Zoro dul in am ar bith - seomra rúnda a bhí i gcónaí faoi ghlas. Ní raibh cead ag aon duine dul isteach ann ach Leonardo é féin.

Ba bhreá le Zoro a fháil amach cad é a bhí istigh ann. "B'fhéidir gur dealbh iontach atá ann," dar leis, "nó meaisín ollmhór cogaíochta."

B'éigean do gach duine obair go crua sa stiúideo.

Bhíodh Zoro ag meascadh dathanna, ag glanadh scuab agus ag cleachtadh a chuid líníochta.

"Nuair a bheidh mé mór, beidh stiúideo de mo chuid féin agam," a deireadh sé, "agus seomra rúnda fosta!"

"Beidh cinnte, a Zoro," arsa Leonardo.

Bhí Leonardo iontach cineálta. Dá dtiocfadh sé ar ainmhí a raibh tinneas nó ocras air thabharfadh sé abhaile leis é chun go dtabharfadh na daltaí aire dó.

Lá amháin tháinig Leonardo ar rud an-aisteach. Tharraing sé rud fiáin callánach isteach sa stiúideo, agus é ag streachailt agus ag troid agus ag caitheamh seileog leis an ealaíontóir.

"Cad é atá ann?" a d'fhiafraigh Zoro.

"Gasúr atá ann!" arsa Leonardo agus é ag gáire.

"Gasúr iontach fiáin. Ní raibh sé riamh ar scoil agus tá a mháthair róbhocht le haire a thabhairt dó. D'iarr sí orm obair a thabhairt dó óir ní bheadh i ndán dó ach an príosún."

Bhain an gasúr fiáin greim as lámh Leonardo. Lig Leonardo air féin go raibh fearg air, ach chonaic Zoro gur ag gáire a bhí sé.

"Tabharfaidh mé Salai ort," arsa Leonardo. "Ciallaíonn sé 'diabhal beag'."

Tháinig Salai a chónaí sa stiúideo, agus
bhí dúil ag gach duine ann cé go mbíodh sé
dalba in amanna.

"Ach ní thig leat na seanéadaí bratógacha sin
a chaitheamh," arsa Leonardo.

"Tá mé ag dul a cheannach culaith úr agus péire bróg duit. . .
Anois, cá háit ar fhág mé mo sparán?"

Chuardaigh siad gach áit go
dtí sa deireadh gur tháinig
Zoro ar an airgead –
curtha i bhfolach i gcóta
cáidheach Salai.

"Bhí sé de chroí aige airgead a ghoid ó Leonardo!" arsa Zoro leis féin.

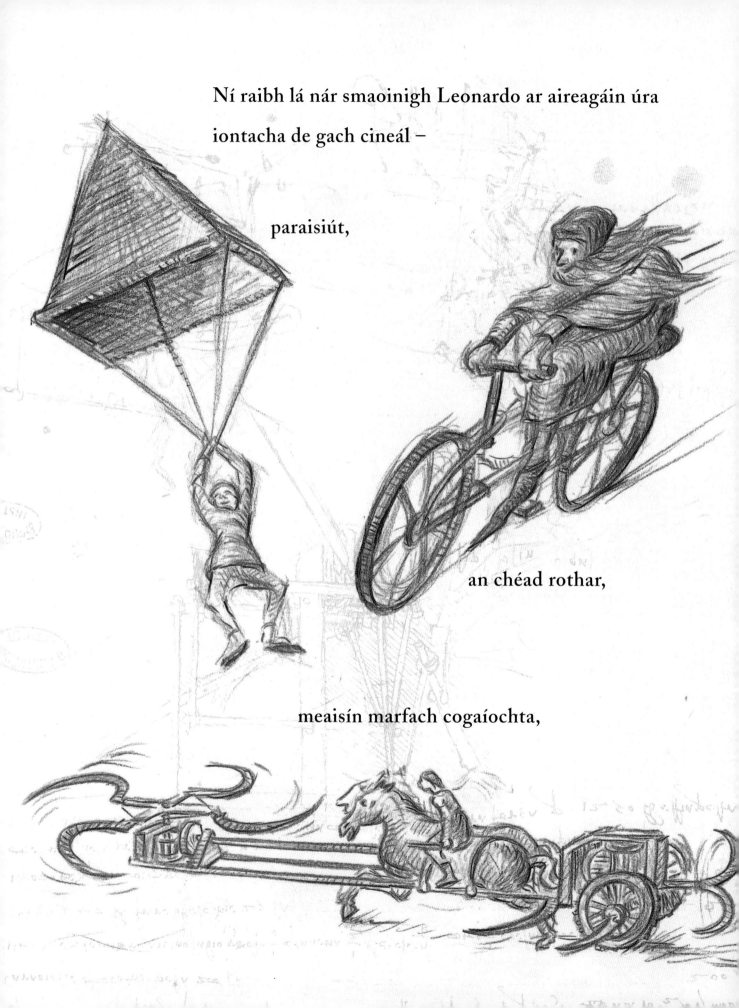

Ní raibh lá nár smaoinigh Leonardo ar aireagáin úra
iontacha de gach cineál –

paraisiút,

an chéad rothar,

meaisín marfach cogaíochta,

gaireas le siúl ar an uisce,

crios tarrthála,

culaith thumtha.

Thóg Leonardo meaisín le gloine a ghearradh agus a shnasú agus rinne sé péire spéaclaí dó féin.

"Anois thig liom súil a choinneáil ar Salaí!" ar seisean, agus é ag sméideadh súile ar Zoro.

Maidin amháin, thug Leonardo Zoro isteach chun an bhaile mhóir ar lorg aghaidheanna suimiúla le pictiúir a tharraingt díobh.

Nuair a chonaic sé duine éigin a bhí thar a bheith álainn nó míofar, lean sé iad ag déanamh sceitseanna díobh.

Tháinig siad a fhad le margadh, áit a raibh bean ag díol éin bheaga.

D'amharc Leonardo ar na héin agus ansin, rud ab iontach le Zoro, cheannaigh sé an t-iomlán acu; ach in áit na héin a thabhairt abhaile mar pheataí, d'iarr sé ar Zoro na héanadáin a oscailt. Ní raibh a fhios ag aon duine cad é a bhí ar bun ag Leonardo.

"Ba chóir go mbeadh na héin saor," arsa Leonardo. "Amharc, a Zoro! Amharc an dóigh a mbrúnn a n-eiteoga in éadan an aeir. Cuireann sé smaoineamh i mo cheann . . ."

Rith Leonardo leis abhaile.

A luaithe agus a bhain sé an stiúideo amach, isteach leis sa
seomra rúnda agus chuir sé an doras faoi ghlas. Bhí Zoro ábalta
an trup agus an tormán ón seomra a chluinstin.

D'fhan Zoro tamall fada ach d'oibrigh Leonardo leis gan sos.
Cad é faoi Dhia a bhí sé a dhéanamh?

"Caithfidh sé gur rud éigin dochreidte atá ann," dar le Zoro.

"Rud éigin nár smaoinigh duine ar bith riamh air."

Sa deireadh thit Zoro ina chodladh ar na céimeanna.

Lá amháin thosaigh Leonardo ar phictiúr iontach de bhean darbh ainm Mona Lisa.

B'éigean di suí go socair ar feadh seachtainí fada, agus thug Leonardo cleasghleacaithe agus ceoltóirí isteach sa dóigh nach n-éireodh sí dubh dóite.

D'amharc Zoro ar na sléibhte ceomhara glasa agus ar na haibhneacha lúbacha a bhí sa phictiúr.

"Ní raibh a leithéid de phictiúr iontach riamh ann," dar leis. Bhí miongháire ar an aghaidh sa phictiúr – miongháire séimh mistéireach.

"Tá cuma uirthi go bhfuil rún ar eolas aici," dar le Zoro. "Shílfeá go bhfaca sí an taobh istigh den seomra rúnda."

Go tobann bhí Salai ina sheasamh taobh thiar de Zoro.

"Goitse, a Zoro!" ar seisean de chogar.

"Taispeánfaidh mé rud éigin i bhfad níos suimiúla ná an pictiúr sin duit." Bhí cuma chiontach ar Salai. D'imigh sé féin agus Zoro amach as an stiúideo agus síos an staighre. Ag doras an tseomra rúnda, tharraing sé fáinne eochracha amach as a phóca.

"Ghoid tú iad!" arsa Zoro. "Caithfidh Leonardo amach ar an tsráid thú!"

Ach ní dhearna Salai ach gáire agus thiontaigh sé an eochair sa doras.

Bhí a fhios ag Zoro nár chóir dó bheith ansin. Ba chóir dó scéala a chur chuig Leonardo, ach… nár bhreá a fháil amach cad é a bhí sa seomra rúnda!

Ach ab é go raibh sé os comhair a dhá shúil amach
ní chreidfeadh Zoro é.

Bhí meaisín eitilte cosúil le hiolar mór sa
seomra.

"Cuidigh liom é a thabhairt amach," arsa
Salai. "Ní bheidh Leonardo réidh choíche leis. Is
tusa an t-aon duine amháin atá beag go leor le suí
isteach ann.

Is duitse a rinneadh é!"

"Beidh Leonardo ar buile," arsa Zoro de chogar.

"Ní bheidh, nuair a fheicfidh sé ag eitilt os cionn an stiúideo thú!" arsa Salai. "Seo leat, a Zoro. Cuidigh liom."

Gan fhios do Leonardo, a bhí ag obair leis thuas staighre, tharraing Zoro agus Salai an meaisín mór amach as an seomra rúnda, tríd na sráideanna agus amach faoin tuath.

Dhírigh Salai a mhéar ar an chnoc ab airde.

"Bainfimid triail as thuas ansin," ar seisean.

Bhí sé ag dul ó sholas
faoin am ar bhain siad
barr an chnoic amach.

"Anois," arsa Salai agus a anáil i mbarr a ghoib aige, "luigh isteach anseo. Nuair a chasfaidh tú na troitheáin, buailfidh na heiteoga."

Bhí a chroí ina bhéal ag Zoro.

"B'fhéidir nach bhfuil an meaisín críochnaithe," ar seisean de scread. "D'fhéad muid bheith foighneach. . ."

Ach faoin am seo bhí Zoro ceangailte sa mheaisín agus bhí Salai á tharraingt chuig bruach na binne.

Bhí eagla a chraicinn ar Zoro. Thosaigh sé a bhéiceadh. Leis sin, tháinig séideán gaoithe, bhrúigh Salai lena ghualainn agus d'éirigh an meaisín eitilte den talamh. D'amharc Zoro ar an domhan thíos faoi; bhí na deora leis le tréan eagla, ach ar feadh cúpla soicind. . .

"Oibríonn sé! Oibríonn sé!" a scairt Salai thíos faoi.

Ach bhí rud éigin contráilte!

Bhí an t-éan róthrom. Chas Zoro na troitheáin ach thosaigh an meaisín a thitim.

Go díreach ansin, tháinig Leonardo ina rith trasna na bpáirceanna. Bhí gach aon scread as Zoro. Thit an meaisín mór anuas as an spéir agus isteach i gcrann.

Ba é Leonardo féin a tharraing Zoro as an mheaisín scriosta agus a d'iompair abhaile go cúramach é.

Lean Salai iad – agus ceann faoi air le náire.

Bhí Zoro ina luí ar a leaba. Bhí a chos gortaithe. Bhí bindealáin thart ar a cheann.

"Ó, a Zoro," arsa Leonardo go brónach, "ní chuireann sé iontas ar bith orm go raibh baint ag Salai leis an amaidí seo. Ach tusa. . .

B'fhéidir go raibh mé contráilte. B'fhéidir nach n-eitleoidh daoine choíche. Ní éin muid. As seo amach, fanfaidh mé i mbun na péintéireachta."

"Ná déan," arsa Zoro go ciúin. "Cuimhnigh ar an rud a dúirt tú liom - *tiocfaidh* lá nuair a bheidh daoine ag eitilt! Níl le déanamh ach an meaisín a dhéanamh rud beag níos éadroime."

Smaoinigh Leonardo ar feadh bomaite. Ansin léim sé ina sheasamh.

"Sea!" a scairt sé. "Agus ba chóir go mbeadh na heiteoga ní b'fhaide. Mar seo . . ."

Agus d'oscail sé a leabhar nótaí agus thosaigh sé a obair go fadálach foighneach go dtí go raibh pictiúr álainn déanta aige – meaisín nua eitilte a bhí níos iontaí ná riamh.

Agus fad is a bhí sé ag obair tháinig miongháire ar a aghaidh – miongháire séimh mistéireach. Shílfeá go raibh sé ag amharc ar lá a bhí le teacht, nuair a bheadh buachaillí agus cailíní cosúil le Zoro ag eitilt tríd na néalta . . .

. . . agus tháinig an lá sin.

LEONARDO DA VINCI

Rugadh Leonardo da Vinci, ginias mór an Renaissance san Iodáil, sa bhliain 1452. Ba mhac le dlíodóir saibhir agus le bean bhocht thuaithe é. Is beag pictiúr a d'fhág sé le huacht againn, ach tá cuid mhór leabhar nótaí ar fáil go fóill a thugann léargas dúinn ar fhear a raibh 'a oiread de bhua na háilleachta agus an ghrásta ó Dhia ann nach bhfuil a chómhaith ann', mar a dúirt Vasari, ealaíontóir agus beathaisnéisí comhaimseartha, faoi. Luann Vasari fosta go raibh a oiread nirt san fheoilséantóir shéimh seo go raibh ar a chumas crú capaill a lúbadh lena dhá lámh.

Bhí aisling iontach ag Leonardo – pictiúr a tharraingt de gach rud dá raibh sa saol seo. Ní raibh brainse den ealaín ná den eolaíocht nach raibh lámh mhaith aige air: péintéireacht, ailtireacht, ceol, innealtóireacht mhíleata, matamaitic, luibheolaíocht agus réalteolaíocht. Thar gach ní eile, ámh, b'aireagóir den scoth é, ach theip ar chuid mhór dá chuid gaireas de bharr a easnamhaí a bhí ábhair na linne. Bhí an-tóir air i gcúirteanna ríoga Milano agus na Fraince, agus is iontach a chosúla atá a chuid dearaí do thancanna, d'fhomhuireáin, do pharaisiúit, d'ardaitheoirí, d'ulóga agus luamháin lena gcomhionann sa lá atá inniu ann.

Bhíodh Leonardo ag smaoineamh de shíor ar cheist na heitilte. Is iomaí iarracht a rinne sé meaisín eitilte a thógáil cé nach móide gur fhan siad rófhada san aer, mar a tharla i gcás léim chlúiteach Zoro ó Monte Ceccero. Ar na daltaí a bhí ag Leonardo bhí Zoro (Zoroaste de Peretolo) agus 'Salai' Giacomo (1480-1524) a ghlac Leonardo faoina choimirce nuair a bhí sé

deich mbliana d'aois. Choinnigh Leonardo taifead de ghadaíocht agus de dhiabhlaíocht Salai agus uair amháin scríobh sé na focail, "GADAÍ, BRÉAGADÓIR, CRAOSAIRE!" ar imeall leabhair nótaí inar tharraing Salai pictiúir gháirsiúla ina dhiaidh sin. D'fhan an buachaill neamhéirimiúil mioscaiseach seo i gcuideachta Leonardo go dtí go bhfuair an máistir bás i 1519, agus d'fhág Leonardo cuid mhaith sealúchais le huacht aige. Is le hurchar crosbhogha a maraíodh Salai ach níorbh ábhar iontais, ar ndóigh, gurbh é an t-anbhás a bhí i ndán dó.

Níl an méid céanna scríofa faoi shaol Zoro ach is cinnte gur fhás sé aníos ina ealaíontóir an-oilte a raibh a oiread de lámh aige i bpictiúir mhóra a mháistir nach féidir aithint idir lorg scuab Zoro agus scuab Leonardo.

Tá tuilleadh eolais faoin leabhar seo agus faoinár gcuid foilseachán uilig ar fáil ó:

An tÁisaonad Lán-Ghaeilge
Coláiste Ollscoile Naomh Muire
191, Bóthar na bhFál
Béal Feirste
BT12 6FE

Fón: + 44 (0) 28 90243864

Facs: + 44 (0) 28 90333719

Ríomhphost: Aisaonad@stmarys-belfast.ac.uk

Suíomh idirlín: http://www.stmarys-belfast.ac.uk/aisaonad/

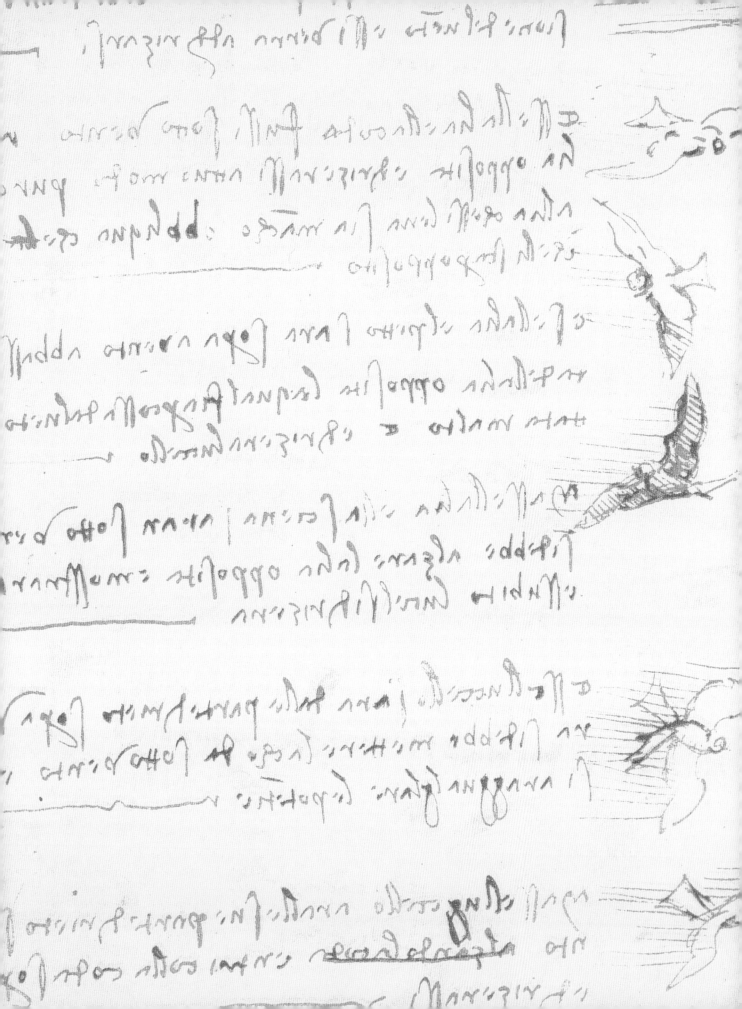